这是我的书
It's MY BOOK
7级：400字

有意思的颜色

作者：程以克（Vicki Cheng）
配图：秦志宁（Zhining Chin）

北京语言大学出版社
BEIJING LANGUAGE AND CULTURE UNIVERSITY PRESS

PHOENIX TREE
PHOENIX TREE PUBLISHING INC.

识 读 睁 颜色 感觉 鲜明 味道 意思

句 型 ……最……

字 数 393字

měi tiān zǎo shang yì zhēng kai yǎn jing wǒ men
每天早上一睁开眼睛，我们
jiù huì kàn dào gè zhǒng gè yàng de yán sè tiān kōng
就会看到各种各样的颜色：天空
shì lán sè de tài yáng shì hóng sè de wū yún shì
是蓝色的，太阳是红色的，乌云是
huī sè de shù yè shì lǜ sè de xiǎo huā shì huáng
灰色的，树叶是绿色的，小花是黄
sè de mèi mei de yī fu shì fěn hóng sè de
色的，妹妹的衣服是粉红色的……

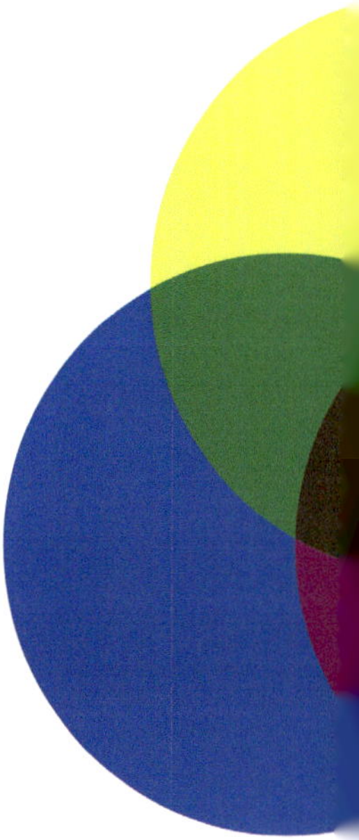

yán sè qiān biàn wàn huà hěn yǒu yì si
颜色千变万化，很有意思。

kàn zhè ge sè quān shang yǒu shí èr zhǒng yán sè
看，这个色圈上有十二种颜色。

zhè shí èr zhǒng yán sè zhōng zuì jī běn de shì hēi sè sān
这十二种颜色中最基本的是黑色三

jiǎo xíng shang de hóng huáng lán sān zhǒng yán sè tā
角形上的红、黄、蓝三种颜色，它

men kě yǐ zǔ chéng qí tā gè zhǒng yán sè
们可以组成其他各种颜色。

xià miàn zhè ge chéng sè sān jiǎo xíng
下面这个橙色三角形
shang de yán sè shì lǜ chéng zǐ
上的颜色是绿、橙、紫，
tā men shì hóng huáng lán sān zhǒng yán
它们是红、黄、蓝三种颜
sè liǎng liǎng hùn hé chǎn shēng de
色两两混合产生的。

看到上面这些颜色了吗？它们很不一样。把这些颜色两两放在一起时，看起来就会特别引人注目。人们把这种相对比的颜色叫作对比色。你看这些黄色的字，看上去多么鲜明、多么让人注意啊！你再看这朵花，真鲜艳啊！知道为什么吗？因为黄色和紫色是对比色。

yán sè hái yǒu wèi dào ne fěn sè tián tián
颜色还有味道呢！粉色甜甜
de lǜ sè yǒu diǎnr suān huī sè yǒu diǎnr
的，绿色有点儿酸，灰色有点儿
kǔ hóng sè kě néng shì là de yán sè yě ràng
苦，红色可能是辣的……颜色也让
rén xiǎng dào jì jié fěn sè de chūn tiān lǜ sè de
人想到季节：粉色的春天，绿色的
xià tiān huáng sè de qiū tiān bái sè de dōng tiān
夏天，黄色的秋天，白色的冬天。

bù tóng de yán sè kě yǐ gěi rén men dài lai bù
不同的颜色可以给人们带来不

tóng de gǎn jué bǐ rú hóng sè wēn nuǎn lǜ sè
同的感觉。比如，红色温暖，绿色

píng jìng huáng sè yú kuài lán sè hán lěng
平静，黄色愉快，蓝色寒冷……

rén men cháng bǎ yì xiē yán sè jiào zuò nuǎn
人们常把一些颜色叫作暖

sè lìng yì xiē jiào zuò lěng sè ràng wǒ men yì
色，另一些叫作冷色。让我们一

qǐ lái kàn kan nǎ xiē shì nuǎn sè nǎ xiē shì
起来看看，哪些是暖色，哪些是

lěng sè ba
冷色吧！

1 每天早上一睁开眼睛，我们就会看到各种各样的颜色：天空是蓝色的，太阳是红色的，乌云是灰色的，树叶是绿色的，小花是黄色的，妹妹的衣服是粉红色的……

2 颜色千变万化，很有意思。看，这个色圈上有十二种颜色。这十二种颜色中最基本的是黑色三角形上的红、黄、蓝三种颜色，它们可以组成其他各种颜色。

3 这个橙色三角形上的颜色是绿、橙、紫，它们是红、黄、蓝三种颜色两两混合产生的。

4 看到上面这些颜色了吗？它们很不一样。把这些颜色两两放在一起时，看起来就会特别引人注目。人们把这种相对比的颜色叫作对比色。你看这些黄色的字，看上去多么鲜明、多么让人注意啊！你再看这朵花，真鲜艳啊！知道为什么吗？因为黄色和紫色是对比色。

5 颜色还有味道呢！粉色甜甜的，绿色有点儿酸，灰色有点儿苦，红色可能是辣的……颜色也让人想到季节：粉色的春天，绿色的夏天，黄色的秋天，白色的冬天。

6 不同的颜色可以给人们带来不同的感觉。比如，红色温暖，绿色平静，黄色愉快，蓝色寒冷……

7 人们常把一些颜色叫作暖色，另一些叫作冷色。让我们一起来看看，哪些是暖色，哪些是冷色吧！

1

2

3

4
Yellow Ribbon
Reintegration Program
www.yellowribbon.mil

5

6

看图讲故事

7